# Quem soltou o PUM?

Blandina Franco e José Carlos Lollo

Companhia das Letrinhas

*Grafia atualizada segundo o Acordo Ortográfico da Língua Portuguesa de 1990,
que entrou em vigor no Brasil em 2009.*

Projeto gráfico:
*José Carlos Lollo*

Revisão:
*Veridiana Maenaka*
*Ana Luiza Couto*

Composição:
*Lilian Mitsunaga*

Dados Internacionais de Catalogação na Publicação (CIP)
(Câmara Brasileira do Livro, SP, Brasil)

Franco, Blandina
    Quem soltou o Pum? / Blandina Franco ; ilustrações
José Carlos Lollo. — São Paulo : Companhia das Letrinhas,
2010.

    ISBN 978-85-7406-446-8

    1. Literatura infantojuvenil  I. Lollo, José Carlos.  II. Título

10-07017                                                                 CDD-028.5

Índices para catálogo sistemático:
1. Literatura infantil  028.5
2. Literatura infantojuvenil  028.5

*24ª reimpressão*

2018

Todos os direitos desta edição reservados à
EDITORA SCHWARCZ S.A.
Rua Bandeira Paulista, 702, cj. 32
04532-002 — São Paulo — SP — Brasil
☎ (11) 3707-3500
www.companhiadasletrinhas.com.br
www.blogdaletrinhas.com.br
/companhiadasletrinhas
companhiadasletrinhas

Esta obra foi composta em ITC Legacy Serif e impressa pela
RR Donnelley em ofsete sobre papel Alta Alvura da Suzano Papel
e Celulose para a Editora Schwarcz em dezembro de 2018

FSC
www.fsc.org
MISTO
Papel produzido
a partir de
fontes responsáveis
FSC® C101537

A marca FSC® é a garantia de que a madeira utilizada na fabricação do papel deste livro provém de florestas que foram gerenciadas de maneira ambientalmente correta, socialmente justa e economicamente viável, além de outras fontes de origem controlada.

Meu melhor amigo é o Pum.

Nada me deixa mais feliz do que soltar o Pum.

Mas às vezes as pessoas olham feio pra mim porque
o Pum faz barulho e atrapalha a conversa dos adultos.

Meus pais dizem que isso acontece porque tem hora certa
pra soltar o Pum. Quando eu solto na hora errada,
ele incomoda os outros e eu acabo levando um
monte de bronca à toa.

Teve uma vez que eu, assim por distração, soltei o Pum
no jardim do prédio onde a gente morava
e levei a maior bronca da síndica.

— Quantas vezes eu vou ter que repetir que não quero o Pum aqui? Vou falar com a sua mãe.

E ela falou e minha mãe ficou brava de verdade.

Ainda bem que depois a gente se mudou
pra uma casa grande, com jardim florido maior ainda.
Aí era uma festa... Eu soltava o Pum no quintal
e ele não incomodava ninguém.

Mas às vezes o Pum fazia muito barulho, e um dia um vizinho acabou reclamando com meu pai.

Por que será que as pessoas ficam bravas quando eu solto o Pum e ele faz barulho?

Por causa desse vizinho eu tive que começar a prender o Pum toda noite.

No começo eu fiquei triste...

Até que eu tive uma ideia genial! Era de noite
e eu estava deitado na minha cama. Então soltei o Pum
debaixo do meu lençol. Isso minha mãe nunca descobriu.

Teve também um dia que estava chovendo forte e
eu fiquei um tempão prendendo o Pum. Mas uma hora
eu não consegui mais segurar e soltei o Pum na chuva.

Depois ele ficou molhado e com um cheiro estranho e me seguiu pra dentro de casa. Minha mãe ficou brava de novo!

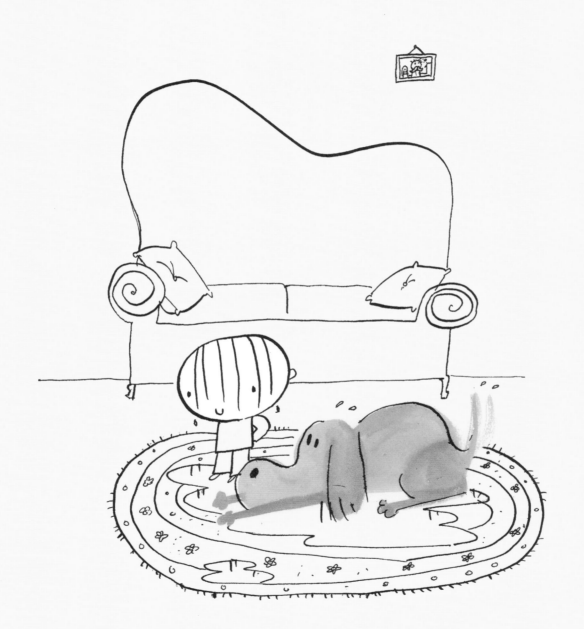